SUKEN NOTEBOOK

チャート式
解法と演習　数学Ⅲ

完成ノート

【微分法とその応用】

本書は，数研出版発行の参考書「チャート式 解法と演習　数学Ⅲ」の
第3章「微分法」，　第4章「微分法の応用」
の例題と PRACTICE の全問を掲載した，書き込み式ノートです。
本書を仕上げていくことで，自然に実力を身につけることができます。

目　次

231201

6．微分係数と導関数の計算

基本 例題 47

□ 解説動画

関数 $f(x)=|x|(x+2)$ は $x=0$ で連続であるか。また，$x=0$ で微分可能であるか。

PRACTICE（基本）**47**　次の関数は $x=0$ で連続であるか。また，$x=0$ で微分可能であるか。

(1)　$f(x)=\begin{cases} x^3+7 & (x \geqq 0) \\ x+7 & (x<0) \end{cases}$

(2) $f(x)=\begin{cases}\sin x & (x \geqq 0) \\ \dfrac{1}{2}x^2+x & (x<0)\end{cases}$

基本 例題 48

□ 

次の関数の導関数を，定義に従って求めよ。

(1) $y=\dfrac{x}{x-1}$

(2) $y=\sqrt{6x+5}$

PRACTICE (基本) **48**　次の関数の導関数を，定義に従って求めよ。

(1)　$y=\frac{1}{x^2}$

(2)　$y=\sqrt{x^2+1}$

基本 例題 49

□ 解説動画

次の関数を微分せよ。

(1) $y=2x^4-7x^3+5x+3$

(2) $y=(x^2+3x-1)(x^2+x+2)$

(3) $y=\dfrac{1+x^2}{1-x^2}$

(4) $y=\dfrac{5x^3+2x^2-3x+1}{x^2}$

PRACTICE (基本) **49**　次の関数を微分せよ。

(1)　$y=3x^5-2x^3+1$

(2)　$y=(x^2-x+1)(2x^3-3)$

(3)　$y=\dfrac{x+1}{x-1}$

(4) $y=\dfrac{1-x^3}{1+x^6}$

(5) $y=\dfrac{x+2}{x^3+8}$

(6) $y=\dfrac{5x^3-4x^2+1}{x^3}$

基本 例題 50

□ 解説動画

次の関数を微分せよ。

(1)　$y=(x^2+3x+1)^3$

(2)　$y=\left(\dfrac{x^2}{2x-3}\right)^4$

PRACTICE (基本) **50**　次の関数を微分せよ。

(1)　$y=(x^2-2x-4)^3$

(2) $y=\{(x-1)(x^2+2)\}^4$

(3) $y=\dfrac{1}{(x^2+1)^3}$

(4) $y=\dfrac{(x+1)(x-3)}{(x-5)^3}$

(5) $y=\left(\dfrac{x}{x^2+1}\right)^4$

基 本 例題 51

□ 

関数 $x=y^2+2y+1\ (y<-1)$ について，$\dfrac{dy}{dx}$ を x の関数で表せ。

PRACTICE（基本）**51**　関数 $x=y^2-y+1\left(y>\dfrac{1}{2}\right)$ について，$\dfrac{dy}{dx}$ を x の関数で表せ。

基本 例題 52 □ 解説動画

次の関数を微分せよ。

(1) $y=x^{\frac{3}{5}}$

(2) $y=\dfrac{1}{\sqrt[3]{x^2+1}}$

(3) $y=\sqrt[4]{2x+1}$

PRACTICE (基本) **52**　次の関数を微分せよ。

(1)　$y=x^2\sqrt{x}$

(2)　$y=\dfrac{1}{\sqrt[3]{x^2}}$ $(x>0)$

(3)　$y=x^3\sqrt{1+x^2}$

基本 例題 53

□ 

$f(x)$ を 2 次以上の多項式とする。

(1) $f(x)$ を $(x-a)^2$ で割ったときの余りを a，$f(a)$，$f'(a)$ を用いて表せ。

(2) $f(x)$ が $(x-a)^2$ で割り切れるための条件を求めよ。

PRACTICE（基本）**53** $f(x)=ax^{n+1}+bx^n+1$（n は自然数）が $(x-1)^2$ で割り切れるように，定数 a，b を n で表せ。

重 要 例題 54

□ 解説動画

a は定数とし，関数 $f(x)$ は $x=a$ で微分可能とする。このとき，次の極限を a，$f'(a)$ などを用いて表せ。

(1) $\displaystyle\lim_{h\to 0}\frac{f(a+2h)-f(a)}{h}$

(2) $\displaystyle\lim_{x\to a}\frac{af(x)-xf(a)}{x-a}$

PRACTICE (重要) **54**　a は定数とし，関数 $f(x)$ は $x=a$ で微分可能とする。このとき，次の極限を a，$f'(a)$ などを用いて表せ。

(1)　$\displaystyle\lim_{h\to 0}\frac{f(a+3h)-f(a+h)}{h}$

(2)　$\displaystyle\lim_{x\to a}\frac{a^2f(x)-x^2f(a)}{x-a}$

重 要 例題 55 □ 

関数 $f(x)=\begin{cases} ax^2+bx-2 & (x \geqq 1) \\ x^3+(1-a)x^2 & (x<1) \end{cases}$ が $x=1$ で微分可能となるように定数 a，b の値を定めよ。

PRACTICE (重要) **55**　$x>1$ のとき $f(x)=\dfrac{ax+b}{x+1}$，$x\leqq 1$ のとき $f(x)=x^2+1$ である関数 $f(x)$ が，$x=1$ で微分係数をもつとき，定数 a，b の値を求めよ。

7．三角，対数，指数関数の導関数

基 本 例題 56

□ 

次の関数を微分せよ。

(1)　$y=\sin(3x+2)$

(2)　$y=\dfrac{\tan x}{x}$

(3)　$y=\sin x\cos^2 x$

PRACTICE (基本) **56**　次の関数を微分せよ。ただし，a は定数とする。

(1)　$y=2x-\cos x$

(2)　$y=\sin x^2-\tan x$

(3)　$y=x^2\sin(3x+5)$

(4) $y=\sin^3(2x+1)$

(5) $y=\dfrac{1}{\sqrt{\tan x}}$

(6) $y=\sin ax\cdot\cos ax$

基本 例題 57

□ 

次の関数を微分せよ。

(1) $y=\log(1-3x)$

(2) $y=\log_2(2x+1)$

(3) $y=\log\left|\dfrac{x}{1+\cos x}\right|$

(4) $y=\log\dfrac{1}{\cos x}$

PRACTICE（基本）**57**　次の関数を微分せよ。

(1) $y=\log(x^3+1)$

(2) $y=\sqrt[3]{x+1}\log_{10}x$

(3) $y=\log|\tan x|$

(4) $y=\log\frac{1+\sin x}{1-\sin x}$

基本 例題 58

□ 解説動画

次の関数を微分せよ。

(1) $y=\sqrt[5]{\dfrac{x+3}{(x+1)^3}}$

(2) $y=x^{x+1}$ $(x>0)$

PRACTICE (基本) **58**　次の関数を微分せよ。

(1)　$y=\sqrt[3]{x^2(x+1)}$

(2)　$y=x^{\log x}$ $(x>0)$

基本 例題 59

□ 解説動画

次の関数を微分せよ。

(1) $y=e^{5x}$

(2) $y=2^{-x}$

(3) $y=x\cdot 3^{x}$

(4) $y=e^{x}\cos x$

(5) $y=\dfrac{e^{3x}}{1+\log x}$

PRACTICE（基本）**59**　次の関数を微分せよ。

(1)　$y=x^3e^{-x}$

(2)　$y=2^{\sin x}$

(3)　$y=e^{3x}\sin 2x$

(4)　$y=e^{\frac{1}{x}}$

基本 例題 60

$\lim_{h\to 0}(1+h)^{\frac{1}{h}}=e$ であることを用いて，次の極限を求めよ。

(1) $\lim_{x\to 0}(1+2x)^{\frac{1}{x}}$

(2) $\lim_{x\to 0}(1-2x)^{\frac{1}{x}}$

(3) $\lim_{x\to \infty}\left(1+\frac{4}{x}\right)^{x}$

PRACTICE (基本) **60** $\lim_{h \to 0}(1+h)^{\frac{1}{h}}=e$ であることを用いて，次の極限を求めよ。

(1) $\lim_{x \to \infty}\left(1-\frac{3}{x}\right)^x$

(2) $\lim_{x \to 0}\frac{\log_2(1+x)}{x}$

(3) $\lim_{x \to \infty} \left(\frac{x}{x+1} \right)^x$

(4) $\lim_{x \to \infty} x \{ \log(2x+1) - \log 2x \}$

重要 例題 61

□ 

次の極限を求めよ。

(1) $\lim_{x \to 0} \frac{e^x - 1}{x}$

(2) $\lim_{x \to 0} \frac{\log \cos x}{x}$

PRACTICE (重要) 61 次の極限を求めよ。

(1) $\lim_{x \to 0} \frac{2^x - 1}{x}$

(2) $\displaystyle\lim_{x \to 2} \frac{1}{x-2} \log \frac{x}{2}$

(3) $\displaystyle\lim_{x \to 0} \frac{e^{x}-e^{-x}}{x}$

(4) $\displaystyle\lim_{x \to 0} \frac{e^{x^2}-1}{1-\cos x}$

8．関数のいろいろな表し方と導関数

基本 例題 62

□ 解説動画

$f(x)=e^{2x}\sin x$ に対して $f''(x)=af(x)+bf'(x)$ となるような定数 a，b の値を求めよ。

PRACTICE (基本) 62　$y=e^{-x}\sin x$ のとき，$y''+{}^{ア}\boxed{}\,y'+{}^{イ}\boxed{}\,y=0$ である。

基本 例題 63

□ 

$y=\cos x$ のとき，$y^{(n)}=\cos\left(x+\dfrac{n\pi}{2}\right)$ であることを証明せよ。

PRACTICE (基本) **63**　次の関数の第 n 次導関数を求めよ。ただし，a は定数とする。

(1)　$y=xe^{ax}$

(2) $y=\sin ax$

基本 例題 64

□ 

次の方程式で定められる x の関数 y について，$\dfrac{dy}{dx}$ を求めよ。

(1)　$x^2+y^2=9$

(2)　$xy=a$　(a は 0 でない定数)

PRACTICE (基本) **64** 次の方程式で定められる x の関数 y について，$\dfrac{dy}{dx}$ を求めよ。

(1) $y^2=2x$

(2) $4x^2-y^2-4x+5=0$

(3) $\sqrt{x}+\sqrt{y}=1$

基本 例題 65

□ 

(1) $x=\sqrt{1-t^2}$，$y=t^2+2$ のとき，$\dfrac{dy}{dx}$ を t の関数として表せ。

(2) $a>0$ とする。$x=a(\theta-\sin\theta)$，$y=a(1-\cos\theta)$ のとき，$\dfrac{dy}{dx}$ を θ の関数として表せ。

PRACTICE (基本) **65**　次の関数について，$\dfrac{dy}{dx}$ を求めよ。ただし，(1) は θ の関数，(2) は t の関数として表せ。

(1)　$x=a\cos^3\theta$，$y=a\sin^3\theta$　$(a>0)$

(2)　$x=\dfrac{1+t^2}{1-t^2}$，$y=\dfrac{2t}{1-t^2}$

重 要 例題 66 □ 解説動画

(1) $y=\tan x$ $\left(0<x<\dfrac{\pi}{2}\right)$ の逆関数を $y=g(x)$ とするとき，$g'(x)$ を x の式で表せ。

(2) $x=3t^3$，$y=9t+1$ のとき，$\dfrac{d^2y}{dx^2}$ を t の式で表せ。

PRACTICE (重要) 66

(1)　$y=\sin x$ $\left(0<x<\frac{\pi}{2}\right)$ の逆関数を $y=g(x)$ とするとき，$g'(x)$ を x の式で表せ。

(2)　$x=1-\sin t$，$y=t-\cos t$ のとき，$\frac{d^2y}{dx^2}$ を t の式で表せ。

9．接線と法線，平均値の定理

基本 例題 67

□ 

(1)　曲線 $y=\dfrac{1}{x}$ 上の点 $\left(\dfrac{1}{3},\ 3\right)$ における接線と法線の方程式を求めよ。

(2)　曲線 $y=\log(x+e)$ に接し，傾きが e である直線の方程式を求めよ。

PRACTICE (基本) **67** (1) 次の曲線上の点 A における接線と法線の方程式を求めよ。

(ア) $y=e^{-x}-1$, A$(-1,\ e-1)$

(イ) $y=\dfrac{x}{2x+1}$, A$\left(1,\ \dfrac{1}{3}\right)$

(2) 曲線 $y=\tan x$ $\left(0 \leqq x < \dfrac{\pi}{2}\right)$ に接し，傾きが 4 である直線の方程式を求めよ。

基本 例題 68 □ 

曲線 $y=\log x+1$ に，原点から引いた接線の方程式と接点の座標を求めよ。

PRACTICE（基本）**68**　次の曲線に，与えられた点から引いた接線の方程式と接点の座標を求めよ。

(1)　$y=\sqrt{x}$，$(-2,\ 0)$

(2)　$y=\dfrac{1}{x}+2$，$(1,\ -1)$

基本 例題 69

□ 

楕円 $\dfrac{x^2}{9}+\dfrac{y^2}{4}=1$ 上の点 A$\left(-\sqrt{5},\ \dfrac{4}{3}\right)$ における接線の方程式を求めよ。

PRACTICE (基本) **69**　次の曲線上の点 A における接線の方程式を求めよ。

(1)　$\dfrac{x^2}{16}+\dfrac{y^2}{25}=1$，A$\left(\sqrt{7},\ \dfrac{15}{4}\right)$

(2)　$2x^2-y^2=1$，A$(1,\ 1)$

(3)　$3y^2=4x$，A$(6,\ -2\sqrt{2})$

基 本 例題 70

□ 解説動画

$x=\sqrt{3}\cos\theta$, $y=4\sin\theta$ で表された楕円がある。この楕円上の $\theta=-\dfrac{\pi}{6}$ に対応する点における接線の方程式を求めよ。

PRACTICE (基本) **70**　次の曲線について，(　) に指定された t の値に対応する点における接線の方程式を求めよ。

(1) $\begin{cases} x=2t \\ y=3t^2+1 \end{cases}$ $(t=1)$

(2) $\begin{cases} x=\cos 2t \\ y=\sin t+1 \end{cases} \quad \left(t=-\dfrac{\pi}{6}\right)$

基 本 例題 71

□ 

2 つの曲線 $y=kx^3-1$，$y=\log x$ が共有点 P をもち，点 P において共通の接線をもつとき，定数 k の値とその接線の方程式を求めよ。

PRACTICE（基本）**71**　ある直線が2つの曲線 $y=ax^2$ と $y=\log x$ に同じ点で接するとき，定数 a の値とその接線の方程式を求めよ。

基本 例題 72

□ 

2 つの曲線 $y=e^x$, $y=\log(x+2)$ の両方に接する直線の方程式を求めよ。

PRACTICE (基本) **72**　2 つの曲線 $y=-x^2$，$y=\frac{1}{x}$ の両方に接する直線の方程式を求めよ。

基本 例題 73

□ 

次の関数 $f(x)$ と区間について，平均値の定理の条件を満たす c の値を求めよ。

(1) $f(x)=\log x$ $[1,\ e]$

(2) $f(x)=x^3+3x$ $[1,\ 4]$

PRACTICE (基本) **73** 次の関数 $f(x)$ と区間について，平均値の定理の条件を満たす c の値を求めよ。

(1) $f(x)=2x^2-3$ $[a,\ b]$

(2) $f(x)=e^{-x}$ $[0,\ 1]$

(3) $f(x)=\dfrac{1}{x}$ $[2,\ 4]$

(4) $f(x)=\sin x$ $[0,\ 2\pi]$

基本 例題 74

平均値の定理を用いて，次のことを証明せよ。

$$e^{-2}<a<b<1 \text{ のとき } \quad a-b<b\log b-a\log a<b-a$$

PRACTICE (基本) **74** 平均値の定理を用いて，次のことを証明せよ。

(1) $a<b$ のとき $e^a(b-a)<e^b-e^a<e^b(b-a)$

(2)　$0<a<b$ のとき　　$1-\frac{a}{b}<\log\frac{b}{a}<\frac{b}{a}-1$

(3)　$a>0$ のとき　　$\frac{1}{a+1}<\frac{\log(a+1)}{a}<1$

重 要 例題 75 □ 

平均値の定理を用いて，極限 $\lim_{x \to 0} \dfrac{\cos x - \cos x^2}{x - x^2}$ を求めよ。

PRACTICE (重要) **75**　平均値の定理を用いて，次の極限を求めよ。

(1)　$\lim_{x \to \infty} x\{\log(2x+1) - \log 2x\}$

(2) $\lim_{x \to 0} \dfrac{e^{\sin x} - e^{x}}{\sin x - x}$

１０．関数の値の変化，最大と最小

基 本 例題 76

次の関数の極値を求めよ。

(1)　$y=\dfrac{x^2+4}{2x}$

(2)　$y=\dfrac{\log x}{x^2}$

(3) $y=|x|\sqrt{x+3}$

PRACTICE（基本）**76**　次の関数の極値を求めよ。

(1)　$y=\dfrac{1}{x^2+x+1}$

(2)　$y=\dfrac{3x-1}{x^3+1}$

(3)　$y=xe^{-x^2}$

(4)　$y=|x-1|e^x$

(5)　$y=(1-\sin x)\cos x$ $(0 \leqq x \leqq 2\pi)$

基本 例題 77

関数 $f(x)=\dfrac{px+q}{x^2+3x}$ が $x=-\dfrac{1}{3}$ で極値 -9 をとるように，定数 p，q の値を定めよ。

PRACTICE (基本) **77**　関数 $f(x)=\dfrac{ax+b}{x^2+1}$ が $x=\sqrt{3}$ で極大値 $\dfrac{1}{2}$ をとるように，定数 a，b の値を定めよ。

基本 例題 78

□ 

関数 $f(x)=e^{-x}\sin x$ の最大値，最小値を求めよ。ただし，$0 \leqq x \leqq \dfrac{\pi}{2}$ とする。

PRACTICE (基本) **78**　次の関数の最大値，最小値を求めよ。

(1)　$f(x)=-9x^4+8x^3+6x^2\left(-\dfrac{1}{3}\leqq x\leqq 2\right)$

(2) $f(x)=2\cos x+\sin 2x\ \ (-\pi \leqq x \leqq \pi)$

基本 例題 79

□ 

次の関数の最大値，最小値とそのときの x の値を求めよ。

(1) $y=\dfrac{2(x-1)}{x^2-2x+2}$

(2) $y=(x+1)\sqrt{1-x^2}$

PRACTICE (基本) **79**　次の関数の最大値，最小値を求めよ。

(1)　$y=\sqrt{x-1}+\sqrt{2-x}$

(2)　$y=x\log x-2x$

基本 例題 80

□ 

関数 $y=e^x\{2x^2-(p+4)x+p+4\}$ $(-1\leqq x\leqq 1)$ の最大値が 7 であるとき，正の定数 p の値を求めよ。

PRACTICE (基本) **80**　関数 $f(x)=\dfrac{a\sin x}{\cos x+2}$ $(0\leqq x\leqq\pi)$ の最大値が $\sqrt{3}$ となるように定数 a の値を定めよ。

基本 例題 81

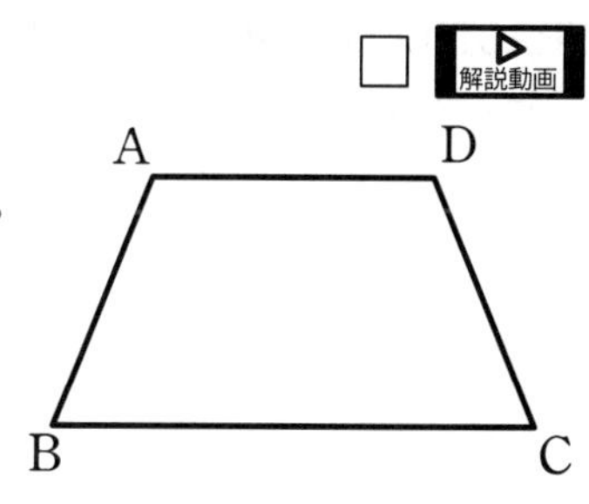

a を正の定数とする。台形 ABCD が AD∥BC，AB＝AD＝CD＝a，BC＞a を満たしているとき，台形 ABCD の面積 S の最大値を求めよ。

PRACTICE (基本) **81**　AB＝AC＝1 である二等辺三角形 ABC に内接する円の面積を最大にする底辺の長さを求めよ。

基本 例題 82

□ 

次の曲線の凹凸を調べ，変曲点を求めよ。

(1)　$y=x^4-2x^3+2x-1$

(2)　$y=x+\sin 2x$　$(0<x<\pi)$

PRACTICE (基本) **82**　次の曲線の凹凸を調べ，変曲点があれば求めよ。

(1)　$y=3x^5-5x^4-5x+3$

(2)　$y=\log(1+x^2)$

(3) $y=xe^{x}$

基本 例題 83

□ 

$0 \leqq x \leqq 2\pi$ のとき，関数 $y=x-\sqrt{2}\sin x$ の増減，グラフの凹凸を調べてグラフの概形をかけ。

PRACTICE (基本) **83**　次の関数の増減，グラフの凹凸を調べてグラフの概形をかけ。

(1)　$y=\frac{1}{4}x^4+\frac{1}{3}x^3-8x^2-16x$

(2)　$y=x-\sqrt{x-1}$ $(x \geqq 1)$

基本 例題 84 □ 

関数 $y=\dfrac{x^2-x+2}{x+1}$ の増減，グラフの凹凸，漸近線を調べて，グラフの概形をかけ。

PRACTICE (基本) **84**　次の関数の増減，グラフの凹凸，漸近線を調べて，グラフの概形をかけ。

(1)　$y=x-\dfrac{1}{x}$

(2) $y=\dfrac{x}{x^2+1}$

(3) $y=e^{-\frac{x^2}{4}}$

基本 例題 85

□ 

第 2 次導関数を利用して，関数 $f(x)=e^{x}\cos x$ $(0 \leqq x \leqq 2\pi)$ の極値を求めよ。

PRACTICE (基本) **85**　第 2 次導関数を利用して，次の関数の極値を求めよ。

(1)　$y=(\log x)^2$

(2)　$y=xe^{-\frac{x^2}{2}}$

(3) $y=x-2+\sqrt{4-x^2}$

基 本 例題 86

□ 

e は自然対数の底とし，$f(x)=e^{x+a}-e^{-x+b}+c$ （a，b，c は定数）とするとき，曲線 $y=f(x)$ はその変曲点に関して対称であることを示せ。

PRACTICE (基本) **86**　$f(x)=\log\dfrac{x+a}{3a-x}$ $(a>0)$ とする。$y=f(x)$ のグラフはその変曲点に関して対称であることを示せ。

重 要 例題 87

□ 

関数 $y=x+\sqrt{1-x^2}$ の増減，極値を調べて，そのグラフの概形をかけ (凹凸は調べなくてよい)。

PRACTICE (重要) **87**　関数 $y=x-\sqrt{10-x^2}$ の増減，極値を調べて，そのグラフの概形をかけ（凹凸は調べなくてよい）。

重要 例題 88

□ 解説動画

方程式 $y^2=x^2(x+1)$ が定める x の関数 y のグラフの概形をかけ (凹凸は調べなくてよい)。

PRACTICE (重要) **88**　次の方程式が定める x の関数 y のグラフの概形をかけ (凹凸も調べよ)。

(1)　$4x^2-y^2=x^4$

(2) $\sqrt[3]{x^2}+\sqrt[3]{y^2}=1$

重 要 例題 89

□ 

曲線 $\begin{cases} x=2\cos\theta \\ y=2\sin 2\theta \end{cases}$ $(-\pi \leqq \theta \leqq \pi)$ の概形をかけ（凹凸は調べなくてよい）。

PRACTICE (重要) **89**　曲線 $\begin{cases} x=\sin\theta \\ y=\cos 3\theta \end{cases}$ $(-\pi \leqq \theta \leqq \pi)$ の概形をかけ (凹凸は調べなくてよい)。

重 要 例題 90

□ 

$0<x<\pi$ の範囲で定義された関数 $y=\dfrac{a+\cos x}{\sin x}$ が極値をもつように，実数 a の値の範囲を定めよ。

PRACTICE (重要) **90**　関数 $f(x)=a\sin x+b\cos x+x$ が極値をもつように，定数 a，b の条件を定めよ。

重 要 例題 91 □ 解説動画

半径 1 の球に外接する直円錐について

(1) 直円錐の底面の半径を x とするとき，その高さを x を用いて表せ。

(2) このような直円錐の体積の最小値を求めよ。

PRACTICE（重要）**91**　体積が $\dfrac{\sqrt{2}}{3}\pi$ の直円錐において，直円錐の側面積の最小値を求めよ。ただし直円錐とは，底面の円の中心と頂点とを結ぶ直線が，底面に垂直である円錐のことである。

１１．方程式・不等式への応用

基本 例題 92

□ 

(1)　$x>0$ のとき，$\log x \leqq \dfrac{x}{e}$ が成り立つことを証明せよ。

(2)　$x>0$ のとき，$\log(1+x) < x-\dfrac{x^2}{2}+\dfrac{x^3}{3}$ が成り立つことを証明せよ。

PRACTICE (基本) **92**　(1)　$x>0$ のとき，$2x-x^2<\log(1+x)^2<2x$ が成り立つことを示せ。

(2)　$x>a$ （a は定数）のとき，$x-a>\sin^2 x-\sin^2 a$ が成り立つことを示せ。

基本 例題 93

□ 

$x>0$ のとき，$\sqrt{1+x}>1+\frac{1}{2}x-\frac{1}{8}x^2$ が成り立つことを示せ。

PRACTICE (基本) 93　$x>0$ のとき，$e^x>x^2$ が成り立つことを示せ。

基本 例題 94

□ 

(1) $x>0$ のとき，$\sqrt{x}>\log x$ であることを示せ。

(2) (1) を利用して，$\displaystyle\lim_{x\to\infty}\frac{\log x}{x}=0$ を示せ。

PRACTICE(基本)**94** (1) $0<x<\pi$ のとき，不等式 $x\cos x<\sin x$ が成り立つことを示せ。

(2) (1) の結果を用いて $\displaystyle\lim_{x\to+0}\frac{x-\sin x}{x^2}$ を求めよ。

基本 例題 95

□ 解説動画

x に関する方程式 $(x^2+2x-2)e^{-x}+a=0$ の異なる実数解の個数を求めよ。ただし，a は定数であり，$\lim_{x \to \infty} \frac{x^2}{e^x}=0$ とする。

PRACTICE (基本) **95**　3 次方程式 $x^3-kx+2=0$ (k は定数) の異なる実数解の個数を求めよ。

重要 例題 96

□ 解説動画

$0<a<b<2\pi$ のとき，不等式 $b\sin\frac{a}{2}>a\sin\frac{b}{2}$ が成り立つことを証明せよ。

PRACTICE (重要) **96**　$e<a<b$ のとき，不等式 $a^b>b^a$ が成り立つことを証明せよ。

重 要 例題 97

□ 

すべての正の数 x について不等式 $kx^3 \geqq \log x$ が成り立つような定数 k の値の範囲を求めよ。

PRACTICE (重要) **97**　a を正の定数とする。不等式 $a^x \geqq x$ が任意の正の実数 x に対して成り立つような a の値の範囲を求めよ。

重 要 例題 98

□ 

$f(x)=-e^x$ とする。実数 a に対して，点 $(0,\ a)$ を通る曲線 $y=f(x)$ の接線の本数を求めよ。ただし，$\lim_{x\to-\infty} xe^x=0$ を用いてもよい。

PRACTICE (重要) **98**　$f(x)=-\log x$ とする。実数 a に対して，点 $(a,\ 0)$ を通る曲線 $y=f(x)$ の接線の本数を求めよ。ただし，$\lim_{x\to+0} x\log x=0$ を用いてもよい。

重 要 例題 99 □ 

(1) 関数 $f(x)=\dfrac{\log x}{x}$ $(x>0)$ の極値を求めよ。

(2) e^{π} と π^{e} の大小を比較せよ。

PRACTICE (重要) **99**　(1)　関数 $f(x)=x^{\frac{1}{x}}$ $(x>0)$ の極値を求めよ。

(2)　$e^3>3^e$ であることを証明せよ。

重 要 例題 100

n は自然数とする。数学的帰納法によって，次の不等式を証明せよ。

$$e^x > 1 + x + \frac{x^2}{2!} + \frac{x^3}{3!} + \cdots\cdots + \frac{x^n}{n!} \quad (x > 0)$$

PRACTICE (重要) **100** (1) $x \geqq 1$ のとき，$x\log x \geqq (x-1)\log(x+1)$ が成り立つことを示せ。

(2) 自然数 n に対して，$(n!)^2 \geqq n^n$ が成り立つことを示せ。

１２．速度と近似式

基本 例題 101

□ 解説動画

数直線上を運動する点Ｐの時刻 t における座標が $x=t^3-6t^2-15t$ $(t\geqq 0)$ で表されるとき，次のものを求めよ。

(1)　$t=3$ におけるＰの速度，速さ，加速度

(2)　Ｐが運動の向きを変えるときの，Ｐの座標

PRACTICE (基本) **101**　数直線上を運動する点Ｐの時刻 t における位置 x が $x=-2t^3+3t^2+8$ $(t\geqq 0)$ で与えられている。Ｐが原点Ｏから正の方向に最も離れるときの速度と加速度を求めよ。

基 本 例題 102

□ 

座標平面上を運動する点 P の座標 $(x,\ y)$ が，時刻 t の関数として $x=\sin t$，$y=\dfrac{1}{2}\cos 2t$ で表されるとき，P の速度ベクトル $\vec{v}$，加速度ベクトル $\vec{\alpha}$，$|\vec{v}|$ の最大値を求めよ。

PRACTICE (基本) **102** 座標平面上を運動する点Pの座標(x, y)が，時刻tの関数として$x=\frac{1}{2}\sin 2t$，$y=\sqrt{2}\cos t$ で表されるとき，Pの速度ベクトル$\vec{v}$，加速度ベクトル$\vec{\alpha}$，$|\vec{v}|$の最小値を求めよ。

基 本 例題 103

□ 解説動画

動点 P が，原点 O を中心とする半径 r の円周上を，点 A$(r,\ 0)$ から出発して，OP が 1 秒間に角 ω の割合で回転するように等速円運動をしている。出発してから t 秒後の点 P の座標を P$(x,\ y)$ とするとき，次の問いに答えよ。

(1) 点 P の速度 $\vec{v}$ と速さを求めよ。

(2) 速度 $\vec{v}$ と $\overrightarrow{\mathrm{OP}}$ は垂直であることを示せ。

PRACTICE (基本) **103**　座標平面上を運動する点Pの座標 $(x,\ y)$ が，時刻 t の関数として
$x=\omega t-\sin\omega t$，$y=1-\cos\omega t$ で表されるとき，点Pの速さを求めよ。また，点Pが最も速く動くときの速さを求めよ。

基本 例題 104

□ 

平地に垂直に立っている壁に長さ 10 m のはしごが立てかけてある。いま，はしごの下端 A が 3 m/s の速さで地面を滑って壁から離れていくとする。点 A が壁から 6 m 離れた瞬間における，このはしごの上端 B が壁に沿って滑り下りる速さを求めよ。

PRACTICE (基本) **104**　水面から 30 m の高さで水面に垂直な岸壁の上から，長さ 58 m の綱で船を引き寄せる。4 m/s の速さで綱をたぐるとき，2 秒後の船の速さを求めよ。

基本 例題 105

□ 

(1)　$x \fallingdotseq 0$ のとき，次の関数について，1 次の近似式を作れ。

(ア)　$(1+2x)^p$　(p は有理数)

(イ) $\log(e+x)$

(2) $\sin 59^\circ$ の近似値を，1 次の近似式を用いて，小数第 3 位まで求めよ。ただし，$\sqrt{3}=1.732$，$\pi=3.142$ とする。

PRACTICE (基本) **105** (1) $x \fallingdotseq 0$ のとき，次の関数について，1 次の近似式を作れ。

(ア) $\dfrac{1}{2+x}$

(イ)　$\sqrt{1-x}$

(ウ)　$\sin x$

(エ)　$\tan\left(\dfrac{x}{2}-\dfrac{\pi}{4}\right)$

(2) 次の値の近似値を，1 次の近似式を用いて，小数第 3 位まで求めよ。ただし，$\sqrt{3}=1.732$，$\pi=3.142$ とする。

(ア) $\cos 61^\circ$

(イ) $\tan 29^\circ$

(ウ) $\sqrt{50}$

(エ) $\sqrt[3]{997}$

基 本 例題 106

□ 解説動画

半径 10 cm の球の半径が 0.03 cm 増加するとき，この球の表面積および体積はそれぞれ，どれだけ増加するか。$\pi=3.14$ として小数第 2 位まで求めよ。

PRACTICE (基本) **106**　1 辺が 5 cm の立方体の各辺の長さを，すべて 0.02 cm ずつ小さくすると，立方体の表面積および体積はそれぞれ，どれだけ減少するか。小数第 2 位まで求めよ。

重 要 例題 107

解説動画

右の図のような四角錐を逆さまにした容器がある。深さ 4 cm のところでの水平断面は 1 辺 3 cm の正方形である。この容器に 9 cm^3/s で静かに水を入れるとき，水の深さが 2 cm になる瞬間の水面が上昇する速さは何 cm/s か。

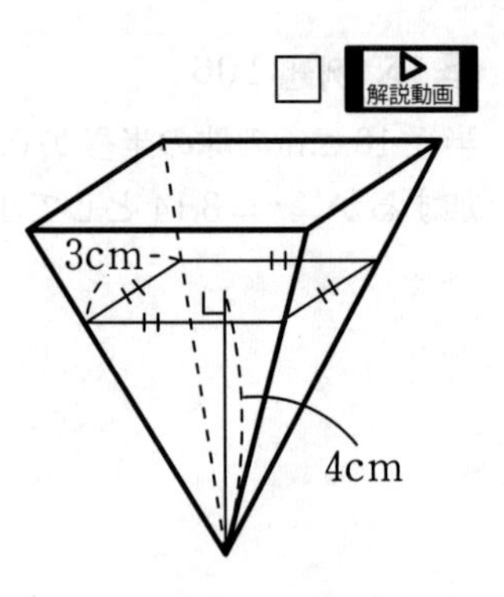

PRACTICE (重要) **107**　表面積が 4π cm^2/s の一定の割合で増加している球がある。半径が 10 cm になった瞬間において，以下のものを求めよ。

(1)　半径の増加する速度

(2)　体積の増加する速度